¡A cocina

Texto de Pamela Gwyther
Fotografías de Mark Wood

Traducción del inglés: Ángeles Leiva Morales para LocTeam, S. L., Barcelona
Redacción y maquetación de la edición en español: LocTeam, S. L., Barcelona

ISBN-13: 978-1-40548-143-4
ISBN-10: 1-40548-143-9

Impreso en China
Printed in China

IMPORTANTE:
Las recetas elaboradas con huevos crudos están desaconsejadas para niños, mujeres embarazadas, personas mayores, convalecientes o con cualquier tipo de enfermedad.
En las páginas 50 y 54 se sugieren variantes a las recetas con frutos secos. Dichas recetas están desaconsejadas para cualquier persona alérgica a los frutos secos o con algún caso de este tipo de alergia en su familia. Los niños pequeños no deben ingerir frutos secos enteros por el riesgo de asfixia.

Queremos expresar un agradecimiento especial a nuestras modelos Sophie Collins, Zion Duharty, Fran Eames y Kristal Lau

CONTENIDO

LA MAGIA DE COCINAR

A todo el mundo le gusta comer bien, pero cocinar puede ser aún más divertido. La cocina es un mundo lleno de magia; en un par de horas puedes convertir una masa cruda en una bandeja de deliciosos panecillos recién hechos.

Para ser un buen cocinero o cocinera, tienes que tenerlo todo listo en la cocina antes de ponerte manos a la obra. Sigue las instrucciones de las recetas paso a paso, y emplea los utensilios como es debido. Tómate unos minutos para leer estas páginas y luego ¡A COCINAR!

En el margen izquierdo de las recetas verás estos símbolos:

| para 2 personas | para 6 unidades | tiempo de preparación | tiempo de cocción | no necesita cocción | tiempo de refrigeración | tiempo de congelación |

PESOS Y MEDIDAS

- Una receta siempre saldrá mucho mejor si pesas y mides los ingredientes con exactitud. ¡Lo de calcular a ojo no es muy buena idea!

- Usa una báscula de cocina para pesar ingredientes secos como la harina y el azúcar.

- Emplea una jarra graduada para los líquidos; asegúrate de apoyar la jarra sobre una superficie llana para que la medición sea exacta.

SEGURIDAD ANTE TODO

- Busca el símbolo ⚠ en las recetas.
  Cuando lo veas pide ayuda a un adulto para:

  – meter o sacar comida del horno caliente;
  – cocinar algo al fuego;
  – utilizar un cuchillo afilado;
  – emplear un aparato eléctrico, como una
    batidora o un robot de cocina.

- Ponte siempre unas manoplas de cocina para
  manipular platos, moldes y bandejas calientes.

- No olvides apagar el horno cuando
  hayas acabado de utilizarlo.

- Si cocinas algo al fuego, ten la precaución de
  colocar el mango de la sartén a un lado para evitar que
  se caliente. Además, así evitarás el riesgo de darle un golpe sin querer.

- Sujeta la cacerola por el mango con una mano mientras remueves con la otra.

- Cuando retires un recipiente del fuego, apóyalo siempre en un paño resistente al calor.

- Para cortar o picar alimentos, usa siempre la tabla de cortar, no la superficie de trabajo.

- Guarda los cuchillos afilados en un taco de cocinero o en un lugar seguro.

- Nunca andes por ahí con un cuchillo afilado en la mano.

- Procura tener las manos secas cuando enchufes o desenchufes aparatos eléctricos.

- Si el suelo se mancha, límpialo en seguida.

TODO LIMPIO Y EN ORDEN

- Antes de ponerte a cocinar, lávate siempre las manos.
  Si tienes que amasar, límpiate las uñas a fondo.

- Remángate bien y ponte siempre un delantal.

- Si tienes el pelo largo, recógetelo.

- Superficie de trabajo y utensilios deben estar limpios.

- Utiliza paños de cocina limpios. Emplea un paño distinto
  para secarte las manos.

- Lava la tabla de cortar y el cuchillo cuando los emplees para
  usos distintos, sobre todo, después de cortar carne cruda.

5

CONSEJOS

Lee la receta de principio a fin y asegúrate de haber comprado todos los ingredientes necesarios. No todas las recetas son igual de sencillas, se clasifican según su grado de dificultad:

 fácil medio  difícil

(es posible que necesites ayuda de un adulto)

Antes de empezar, repasa la lista de utensilios necesarios para cada receta.

Aquí tienes unos cuantos consejos prácticos sobre varias técnicas básicas de cocina que necesitarás para preparar las recetas de este libro.

MONTAR

Consiste en batir claras de huevo o nata para ponerlas esponjosas. Puedes emplear una batidora de varillas o una mezcladora.

INCORPORAR

Al añadir un ingrediente a una mezcla, hay que ir removiendo poco a poco con una cuchara de metal o una espátula de plástico.

MEZCLAR CON LOS DEDOS

A la hora de preparar una masa, hay que mezclar la mantequilla y la harina con los dedos hasta que la masa quede como migas de pan.

ESTIRAR UNA MASA

Para estirar una masa, enharina ligeramente la superficie de trabajo y el rodillo. Luego pasa el rodillo por encima de la masa sin presionar.

SEPARAR HUEVOS

Para separar la yema de un huevo de la clara, casca el huevo en un platillo. Coloca una huevera encima de la yema y pasa la clara a un cuenco.

FORRAR UN MOLDE

Al preparar pasteles y dulces, evita que se peguen al molde forrándolo con papel parafinado.

FUNDIR

Cuando fundas chocolate, procura que el fondo del cuenco no toque el agua. Si se calienta demasiado, se estropea.

AMASAR

La masa de pan se amasa para que quede elástica; así retendrá el aire durante la cocción. Estira y recoge la masa hasta que quede suave.

7

TENTEMPIÉS

A continuación te proponemos un surtido de riquísimos tentempiés, ideales para matar el hambre. Son delicias para picar a cualquier hora y en cualquier ocasión, desde una fiesta de pijamas en casa hasta una merienda rápida al salir del cole.

Prueba con crudités con salsas, las fajitas mexicanas o las tartaletas... incluso hay una receta para hacer pan casero. Y para rematar, nada mejor que un batido de fruta y yogur. Se prepara en un santiamén y te cargará las pilas.

CRUDITÉS CON SALSAS ★

Las crudités son bastoncillos de vegetales crudos, ideales para merendar, en una fiesta o para matar el gusanillo. Acompañadas de cremas están para chuparse los dedos.

para 8 personas

30 minutos

no necesita cocción

Utensilios

- tabla de cortar
- cuchillo afilado
- cuenco para mezclar
- cuchara de madera
- robot de cocina
- cuchara para medir
- fuente para servir
- 2 cuencos pequeños
- jarra graduada

Necesitas:

Crudités

4 zanahorias peladas

2 calabacines

4 tallos de apio

medio pepino

1 pimiento rojo

1 pimiento amarillo

8 mazorcas mini

Crema de queso

250 g de queso crema

2 cucharadas de leche

2 cebolletas bien picadas

1 cucharada de perejil recién picado

1 cucharada de cebollino

sal y pimienta negra recién molida

Hummus

400 g de garbanzos en conserva escurridos

zumo de 1 limón

2 dientes de ajo majados

2 cucharada de tahina (pasta de sésamo)

125 ml de aceite de oliva

sal y pimienta negra recién molida

perejil recién picado y pimentón para decorar

CREMA DE QUESO

1. Corta las zanahorias, los calabacines y el apio en bastones de 6 cm de largo. Parte por la mitad el pepino, despepítalo y córtalo en bastones iguales.

2. Corta los pimientos por la mitad y quítales las pepitas. Trocea todas las mitades en tiras igual de largas.

3. Para preparar la crema mezcla el queso y la leche hasta obtener una salsa homogénea. Añade los otros ingredientes y sazónala.

10

Hummus

4. Mezcla los garbanzos con el zumo de limón y el ajo en un robot de cocina. Añade la tahina y acciona el robot hasta que quede una mezcla homogénea.

5. Con el robot en marcha, ve añadiendo el aceite poco a poco. Sazona la mezcla.

6. Pon la crema de queso y el hummus en los cuencos. Decora el hummus con perejil y pimentón. Sirve las salsas en una fuente con los crudités.

para 4 personas

5 minutos

no necesita
cocción

BATIDOS DE FRUTA

Quédate con estos deliciosos batidos de fruta. Están riquísimos y se preparan en unos minutos. Basta con que elijas las frutas que más te gustan y las mezcles con imaginación para hacer unos batidos alucinantes.

Utensilios

- tabla de cortar
- cuchillo afilado
- batidora de vaso o robot de cocina
- jarra graduada
- cucharilla para medir

Necesitas:

Batido exótico

1 plátano pequeño

150 g de fresas y frambuesas frescas y lavadas

300 ml de leche

azúcar extrafino (opcional)

Batido de yogur

1 plátano pequeño

1 pera madura

200 ml de zumo de manzana

200 ml de yogur natural

1 cucharadita de extracto de vainilla

1 cucharada de miel líquida

BATIDO EXÓTICO

1. Para preparar el batido corta el plátano en rodajas. Parte por la mitad las fresas si son muy grandes.

2. Pon la fruta en el vaso de la batidora y añade la leche. Procura colocar bien la tapa y bátelo todo hasta obtener una mezcla homogénea.

3. Prueba la mezcla y añade azúcar si es preciso. Reparte el batido en copas altas y sírvelo con una pajita.

BATIDO DE YOGUR

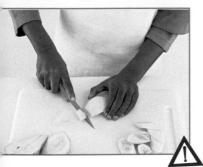

1. Para preparar el batido de yogur, corta el plátano en rodajas. Pela la pera, quítale el corazón y trocéala.

2. Pon todos los ingredientes en la batidora. Asegúrate de taparla bien y mézclalo todo hasta que quede homogéneo.

3. Sirve el batido en copas altas.

Un toque distinto

Si añades hielo picado o helado al batido, obtendrás una bebida más fría, ideal para saciar la sed en verano.

PITA CON TODO ★

para 4 unidades

10–15 minutos

10 minutos

Esta receta es súper fácil y divertida de preparar. Con unos cuantos panes de pita podrás hacer bocadillos de mil y sabores distintos con los ingredientes que más te gusten.

Necesitas:

2 pitas grandes

Relleno

100 g de atún en conserva escurrido

2 cebolletas

100 g de maíz tierno en conserva escurrido

2 cucharadas de mayonesa

sal y pimienta negra recién molida

2 huevos

2 cogollos de lechuga

Utensilios

- tabla de cortar
- cuchillo afilado
- cuenco para mezclar
- tenedor
- cuchara de madera
- cazo
- espumadera
- cuchara para medir
- film transparente o papel de aluminio

Un toque distinto

Mezcla trozos de pollo frío, frito o asado, con mayonesa y lechuga cortada en tiras. Sazona la mayonesa con un poco de curry en polvo y mermelada de albaricoque.

Si quieres preparar un relleno vegetariano, mezcla queso crema con cebollino picado, espinacas mini y tomates cherry partidos por la mitad.

1. Calienta las pitas a la parrilla o en el horno. Corta cada pan por la mitad.

2. Desmenuza el atún con un tenedor en el cuenco. Pica las cebolletas finas y añádelas al atún.

3. Incorpora el maíz tierno y la mayonesa y mézclalo todo bien. Sazona la mezcla

14

4. Hierve los huevos en el cazo durante 10 minutos. Enfríalos bajo el grifo. Pélalos, pícalos y añádelos a la mezcla.

5. Lava y trocea la lechuga. Pon unas cuantas tiras en cada mitad de pita.

6. Reparte el sabroso relleno entre las mitades de pan de pita. Puedes comértelas ya o guardarlas envueltas en film o papel de aluminio.

para 4 unidades

15 minutos

70-90 minutos

Utensilios

* tenedor
* bandeja para el horno
* cuchara de postre
* cuenco para mezclar
* cuchillo afilado
* tabla de cortar
* rallador

PATATAS AL HORNO

Cuando hace frío y no apetece salir de casa, no hay nada mejor que una deliciosa cena con patatas asadas al horno. La patata rellena calentita está riquísima.

Necesitas:

4 patatas grandes, de unos 250 g cada una

50 g de mantequilla

sal y pimienta negra recién molida

115 g de jamón de york

115 g de queso cheddar

Un toque distinto

Si quieres preparar un relleno vegetariano, prueba con unos champiñones fritos en lugar del jamón.

Añade al puré de patata atún en conserva desmenuzado o salmón en vez de jamón.

Para darles más sabor, rocía las mitades de patata calientes con salsa picante o boloñesa y espolvoréalas con queso.

1. Precalienta el horno a 200°C. Lava las patatas y sécalas. Pínchalas con un tenedor y ponlas en la bandeja para el horno.

2. Asa las patatas al horno entre 60 y 75 minutos, hasta que estén tiernas por dentro y la piel quede crujiente. Sácalas del horno.

3. Corta cada patata por la mitad y, con una cuchara, vacía el interior en el cuenco. Hazlo con cuidado para evitar que la piel se rompa.

4. Chafa bien la patata con el tenedor hasta hacerla puré. Añade la mantequilla y salpimienta el puré.

5. Coloca las pieles de patata en la bandeja para el horno. Pica el jamón y repártelo entre las cáscaras. Rellénalas con el puré de patata.

6. Ralla el queso y espolvoréalo sobre las patatas. Vuelve a meterlas al horno durante 15 minutos más, hasta que se doren.

FAJITAS DIVERTIDAS ★★★

Las fajitas están para chuparse los dedos. Son unas tortillas rellenas de carne, ensalada y salsa picante típicas de México. Te lo pasarás en grande preparándolas.

para 4 personas

**15 minutos +
1 hora en marinada**

5–6 minutos

Utensilios

- cuchillo afilado
- tabla de cortar
- plato no metálico
- cuchara de madera
- film transparente
- cuenco
- tenedor
- sartén
- espumadera
- fuente de servir
- 2 cuencos pequeños

Necesitas:

1 pimiento rojo y 1 amarillo

2 pechugas de pollo sin piel

2 cucharadas de aceite de oliva

2 cucharaditas guindilla suave en polvo

1 cucharadita de pimentón

zumo y ralladura de 1 lima

sal y pimienta negra recién molida

4 tortillas de harina

50 g de lechuga iceberg cortada en tiras

4 cucharadas de nata agria o yogur natural

Guacamole

2 tomates sin pepitas troceado

1 cebolla roja pequeña picada muy fina

1 cucharada de zumo de lima

1 cucharada de aceite de oliva

1 aguacate pelado, sin hueso y cortado en dados

1 cucharada de cilantro fresco picado

1. Parte los pimientos por la mitad, quítales las pepitas y córtalos en bastones largos. Corta las pechugas en tiras y ponlas en el plato no metálico.

2. Pon a marinar el pollo con la mitad del aceite, las especias y el zumo y la ralladura de lima. Sazónalo, tápalo con film y ponlo a refrigerar 1 hora.

3. Para preparar el guacamole, mezcla todos los ingredientes. Sazona la mezcla, tápala con film y guárdala en un sitio fresco.

4. Calienta el aceite restante en la sartén y sofríe el pollo, removiendo, 3 minutos. Añade los pimientos y saltéalo todo 3 minutos, hasta que esté hecho.

5. Retira la sartén del fuego. Saca el pollo y los pimientos y mantenlo todo caliente. Hornea las tortillas y pon el guacamole y la nata en cuencos.

6. Para preparar las fajitas, pon un poco de guacamole o nata sobre una tortilla. Añade el pollo, los pimientos y la lechuga y enrolla la fajita.

Un toque distinto

Sustituye el pollo por carne picada de ternera.

Si prefieres un relleno vegetariano, usa queso rallado en vez de carne.

para 8 unidades

15 minutos +
1 hora en marinada

8–10 minutos

BROCHETAS EN TROPEL ★★★

Las brochetas son geniales para picar algo en cualquier momento, sobre todo en verano, cuando se pueden preparar al aire libre en una barbacoa. En esta receta se hacen a la parrilla, pero verás cómo quedan igual de ricas.

Utensilios

- cuchara para medir
- cuenco para mezclar
- exprimidor
- machacador de ajos
- cuchillo afilado
- tabla de cortar
- espumadera
- plato
- film o papel de aluminio
- 8 brochetas de madera
- pincel de repostería
- pinzas de cocina

Necesitas:

Marinada

4 cucharadas de aceite de oliva

zumo de 1 limón

1 diente de ajo majado

sal y pimienta negra recién molida

Brochetas

450 g de pierna de cordero deshuesada

2 cebollas rojas

8 champiñones

8 tomates cherry

8 hojas de laurel

Un toque distinto

Puedes preparar sabrosas brochetas de pescado con gambas y dados de salmón.

Si lo prefieres, haz brochetas vegetarianas con trozos de cebolla, calabacín y berenjena, cuadrados de pimiento rojo y amarillo, patatas nuevas cocidas y tomates pequeños enteros. Dale más sabor a la marinada con algo de miel.

1. Mezcla los ingredientes de la marinada en el cuenco. Corta la carne en dados de 2 cm.

2. Añade la carne al cuenco y remuévela bien con la marinada. Tápala y guárdala en el frigorífico 1 o 2 horas. Pasa la carne al plato.

3. Pela las cebollas y córtalas en trozos grandes. Lava los tomates. Limpia los champiñones. Pon las brochetas en remojo en agua fría durante 30 minutos.

4. Ensarta en las brochetas la carne, la cebolla, los champiñones, los tomates y el laurel, intercalándolo todo (ten cuidado de no pincharte).

5. Precalienta la parrilla. Forra el fondo con papel de aluminio. Coloca las brochetas sobre la rejilla y úntalas con la marinada usando el pincel.

6. Ásalas de 8 a 10 minutos. Dales la vuelta cada 2 minutos para que se hagan por todos lados. Sírvelas con ensalada y arroz o con una patata asada.

para 8 unidades

20 minutos
+ fermentación

10–15 minutos

PAN CASERO

Los panecillos hechos en casa son algo muy especial. No hay nada que huela mejor que el pan recién salido del horno. El pan casero es divertido de preparar y está buenísimo.

Necesitas:

450 g de harina blanca de fuerza

1 cucharadita de sal

1 sobre de 7 g de levadura soluble

1 cucharada de aceite vegetal

350 ml de agua templada

2 cucharadas de harina para espolvorear

1 huevo batido para pintar

semillas de sésamo o de amapola para decorar

Utensilios

- cuenco grande para mezclar
- cuchara de madera
- jarra graduada
- tamizador de harina
- tabla de cortar
- film transparente
- cuchillo
- placa de horno
- pincel de repostería
- paño de cocina

Un toque distinto

Si quieres panecillos integrales, pon mitad de harina blanca y mitad de harina integral.

Consejo

Para saber si los panecillos están cocidos, dales un toque en la base: si suenan a hueco es que ya están hechos.

¡No olvides dejarlos enfriar un poco antes de comértelos!

1. Mezcla la harina, la sal y la levadura en el cuenco. Añade el aceite y el agua. Remuévelo todo hasta que se forme una masa blanda.

2. Trabaja la masa en la tabla, enharinada, de 5 a 7 minutos, hasta que quede elástica. Ponla en el cuenco, tápala con film y déjala en un sitio templado.

3. Cuando la masa haya doblado su volumen (alrededor de 1 hora), vuelve a amasarla hasta que quede suave. Divídela en 8 partes iguales.

4. Con la mitad de la masa haz cuatro panecillos, y con la otra mitad, bolas dobles con un orificio en el centro. Ponlo todo en la placa de horno.

5. Cubre los panecillos con un paño y déjalos fermentar 30 minutos, hasta que doblen su volumen. Precalienta el horno a 220°C.

6. Pinta algunos panes con huevo y decóralos con semillas. Espolvorea otros con harina. Hornéalos de 10 a 15 minutos hasta que empiecen a dorarse.

para 12 unidades

25 minutos

15–25 minutos

Utensilios

- cuenco para mezclar
- tamiz
- cuchara para medir
- tenedor
- cuchillo romo
- rodillo
- cortapastas de 7,5 cm
- molde para madalenas
- jarra graduada
- sartén pequeña
- espátula de madera
- rejilla

TARTALETAS

Te lo pasarás de maravilla preparando estas deliciosas tartaletas. Y lo mejor es que pegan con todo, salado o dulce, así que ¡ponle imaginación a los rellenos!

Necesitas:

175 g de harina

una pizca de sal

85 g de mantequilla (o una mezcla de mantequilla y grasa vegetal)

2–3 cucharadas de agua fría para mezclar

2 lonchas de beicon cortadas en trozos pequeños

2 huevos batidos

60 g de queso cheddar rallado

150 ml de leche

sal y pimienta negra recién molida

Un toque distinto

Si quieres preparar unas tartaletas vegetarianas, fríe unos puerros cortados en rodajas y ponlos en las bases de masa antes de añadir la mezcla de huevo.

Otros rellenos: mermelada roja, crema de limón o picadillo de carne y frutos secos.

1. Precalienta el horno a 200°C. Tamiza la harina y la sal en el cuenco. Añade la mantequilla y mézclala con la harina hasta que parezcan migas de pan.

2. Rocía la masa con el agua y remuévela con el cuchillo para ligarlo todo. Forma una bola con la masa; el cuenco debe quedar limpio.

3. Aplana un poco la masa con la mano en una superficie ligeramente enharinada. Pasa luego el rodillo para formar un disco de 3 mm de grosor.

4. Recorta la masa en discos pequeños y colócalos en el molde para madalenas.

5. Fríe el beicon en la sartén hasta que quede crujiente. Mezcla los huevos, el queso, el beicon y la leche. Sazona la mezcla.

6. Reparte la mezcla entre las bases de masa. Hornea las tartaletas 15 minutos. Sácalas y déjalas enfriar un poco. Pásalas después a una rejilla.

PLATOS ÚNICOS

Aquí tienes un montón de cosas ricas para comer con tu familia o con tus amigos cuando vengan a verte a casa. Son platos sencillos y fáciles de preparar, pero muy resultones.

Entre estas recetas encontrarás lo que más le gusta a todo el mundo: desde pizzas y crêpes hasta pasta y hamburguesas. Y si quieres impresionar a tus amigos y a tu familia, sorpréndeles con un postre que no se esperan: las natillas sorpresa. ¡Todos querrán repetir!

para 4 personas

15 minutos

20–25 minutos

Utensilios

- tabla de cortar
- cuchillo afilado
- machacador de ajos
- olla grande con tapa
- espátula de madera
- jarra graduada
- batidora de brazo
- cuencos de sopa templados
- rallador
- exprimidor

CREMA DE HORTALIZAS ★ ★

En los días de frío una buena crema bien caliente viene de fábula. ¡Invita a cenar a la familia y los amigos!

Necesitas:

1 cebolla

2 puerros

1 diente de ajo

450 g de zanahorias

225 g de chirivías

1 cucharada de aceite de oliva

25 g de mantequilla

850 ml de caldo de verduras

zumo y ralladura de 2 naranjas

sal y pimienta negra recién molida

1 cucharada de perejil fresco picado

Un toque distinto

Si prefieres tomar la sopa con tropezones, no la batas.

Para preparar una crema sólo de verduras, sustituye las zanahorias y las chirivías por 350 g de espinacas. Añade nuez moscada y adórnala con un chorrito de nata.

Para dar más sabor a la crema espolvoréala con queso rallado antes de servirla.

1. Pela la cebolla y los puerros y pícalo todo bien. Pela el ajo y tritúralo con el machacador. Pela las zanahorias y las chirivías y córtalas en dados.

2. Calienta el aceite y la mantequilla en la olla a fuego medio. Añade la cebolla y el ajo y sofríelo todo a fuego lento durante 2 o 3 minutos.

3. Añade el resto de las hortalizas y sigue con la cocción 2 minutos más.

4. Vierte el caldo encima de las hortalizas. Tapa la olla y déjalo cocer todo a fuego lento entre 15 y 20 minutos.

5. Retira la olla del fuego. Bate la sopa hasta que se convierta en una crema sin grumos.

6. Añade el zumo de naranja. Prueba la crema y sazónala. Sírvela en cuencos templados, decorada con ralladura de naranja y perejil picado.

ARROZ MIL DELICIAS ★★★

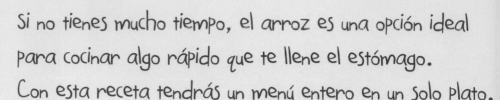

Si no tienes mucho tiempo, el arroz es una opción ideal para cocinar algo rápido que te llene el estómago.
Con esta receta tendrás un menú entero en un solo plato.

para 4 personas

10–15 minutos

14–15 minutos

Utensilios

- olla grande con tapa
- espátula de madera
- jarra graduada
- sartén
- cuchillo afilado
- tabla de cortar
- tenedor
- fuente refractaria grande para servir

Necesitas:

600 ml de caldo de pollo o vegetal

225 g de arroz de grano largo

1 cucharada de aceite de oliva

4 lonchas de beicon cortadas en tiras

1 cebolla pequeña bien picada

1 pimiento rojo sin pepitas y cortado en dados

85 g de champiñones pequeños cortados en láminas

85 g de guisantes congelados, descongelados

85 g de maíz tierno congelado, descongelado

1 cucharada de perejil fresco picado

Un toque distinto

Si prefieres preparar un arroz vegetariano, no le pongas el beicon y sírvelo con queso rallado por encima.

Para que tenga más sustancia, añade al arroz 225 g de pollo frito o asado picado.

Si añades ¼ cucharadita de azafrán al caldo te saldrá un arroz amarillo. Con 2 cebolletas picadas le darás más sabor.

1. Pon a hervir el caldo con el arroz en la olla, removiendo de vez en cuando. Tapa la olla y deja cocer el arroz a fuego lento 11 o 12 minutos.

2. Mientras se cuece el arroz, calienta el aceite en la sartén y fríe el beicon y la cebolla hasta que el beicon esté frito y la cebolla quede tierna.

3. Añade el pimiento rojo y los champiñones y sofríelo todo junto 2 o 3 minutos.

4. Añade los guisantes y el maíz y revuélvelo todo junto para que se caliente.

5. Cuando el arroz esté cocido (mira las instrucciones del envase), retíralo del fuego. Revuélvelo con cuidado con un tenedor para separar los granos.

6. Pasa el arroz a una fuente de servir precalentada y añade los ingredientes de la sartén. Mézclalo todo con cuidado y espolvoréalo con el perejil.

PASTA AL HORNO ★★

para 4 personas

20–25 minutos

20–25 minutos

Si estás pensando en preparar una deliciosa cena la pasta es una baza segura. Con una buena fuente de pasta al horno tendrás suficiente para dar de comer a todos tus amigos. La cremosa salsa y el gratinado les encantará.

Utensilios

- olla grande
- cazo mediano
- espátula de madera
- rallador
- escurridor
- fuente refractaria
- bandeja de horno

Necesitas:

250 g de espirales de pasta

¼ cucharadita de sal

50 g de mantequilla

40 g de harina

450 ml de leche

125 g de queso cheddar rallado

125 g de jamón de york picado

4 tomates cherry cortados en cuartos

sal y pimienta negra recién molida

25 g de queso parmesano recién rallado

Un toque distinto

Añade a la pasta 115 g de maíz tierno y 220 g de atún en conserva escurrido y desmenuzado.

1. Precalienta el horno a 200°C. Pon a hervir agua abundante en la olla con un poco de sal.

2. Añade la pasta poco a poco, con cuidado de que no salpique. Para cocer la pasta sigue las instrucciones del envase.

3. Derrite la mantequilla en el cazo a fuego lento. Añade la harina y cuece la mezcla durante 1 minuto. Retírala del fuego.

4. Añade la leche poco a poco, removiendo, hasta que quede una salsa sin grumos. Vuelve a ponerla al fuego y remuévela mientras se espesa.

5. Cuando la salsa hierva, baja el fuego y déjala cocer 1 o 2 minutos, removiendo. Retírala del fuego, añade el cheddar, el jamón y el tomate; sazónala.

6. Escurre la pasta. Mézclala con la salsa; pásala a la fuente y espolvoréala con el parmesano. Hornea la pasta de 20 a 25 minutos.

HAMBURGUESAS SÚPER ★★

Verás lo bien que te lo pasas preparando estas sabrosas hamburguesas de carne con lechuga y tomate. Ponles la salsa que más te guste para que estén aún mejor.

para 4–6 unidades

15 minutos + 10 minutos de refrigeración

10–12 minutos

Utensilios

* cuenco para mezclar
* tenedor
* tabla de cortar
* cuchillo afilado
* parrilla
* papel de aluminio
* pincel de repostería
* rasera

Necesitas:

450 g de carne de ternera picada

1 cebolla bien picada

1 huevo batido

sal y pimienta negra recién molida

1 cucharada de harina para moldear

1 cucharada de aceite de oliva

Para servir

4–6 panecillos para hamburguesas

media lechuga

2 tomates

mostaza, ketchup o mayonesa

Un toque distinto

Para preparar hamburguesas vegetarianas necesitarás:
800 g de judías blancas en conserva, escurridas y enjuagadas
2 cucharadas de perejil o cilantro picado
ralladura de 1 limón
1 huevo batido

Mezcla todos los ingredientes con una batidora. Sazona la mezcla y forma 4 hamburguesas iguales. Refrigéralas 1 o 2 horas; fríelas luego en una sartén antiadherente durante 5 minutos por cada lado. Sírvelas con ensalada.

1. Pon la carne picada en el cuenco y añade la cebolla, el huevo, la sal y la pimienta. Mézclalo todo bien con un tenedor.

2. Enharínate ligeramente las manos y la tabla de cortar. Divide la mezcla de carne en 4 o 6 porciones iguales y dales forma de hamburguesa.

3. Mete las hamburguesas en el frigorífico 10 minutos. Precalienta la parrilla. Pon encima las hamburguesas frías y úntalas con aceite.

4. Haz las hamburguesas a la parrilla de 4 a 6 minutos. Dales la vuelta y úntalas con aceite. Deja que se hagan por este lado unos minutos más.

5. Corta los panecillos por la mitad. Tuéstalos en la parrilla, si quieres. Corta los tomates en rodajas finas. Lava la lechuga y trocéala.

6. Pon un puñado de lechuga en la base de cada panecillo. Coloca encima la hamburguesa y una rodaja de tomate. Añade la salsa que más te guste.

para 2 unidades
(4 personas)

15 minutos
+ fermentación

15–20 minutos

Utensilios

- cuenco grande para mezclar
- cuchara de madera
- jarra graduada
- tamizador de harina
- tabla de cortar
- rodillo
- film transparente
- cuchillo
- 2 placas de horno (engrasadas)
- escurridor
- cuenco

PIZZAS A GOGÓ

¿Tienes hambre y pocas ganas de complicarte la vida? No pienses más. Una pizza es la solución ideal, divertida y fácil: un montón de harina y la cobertura que quieras. Con esta receta podrás hacer minipizzas para todos los gustos.

Necesitas:

Base

225 g de harina de fuerza

½ cucharadita de sal

2 cucharaditas de levadura soluble

1 cucharada de aceite vegetal

175 ml de agua templada

2 cucharadas de harina para espolvorear

Cobertura

400 g de tomates en conserva picados

2 cucharadas de tomate concentrado

2 cucharaditas de orégano seco

sal y pimienta negra recién molida

2 lonchas de jamón troceadas

150 g de mozzarella troceada

1 pimiento amarillo cortado en tiras

4 champiñones pequeños cortados en láminas

2 cucharadas de aceite de oliva

1. Haz la masa siguiendo las instrucciones para preparar pan de la página 22, hasta el final del paso 3.

2. Enharínate las manos y la superficie de trabajo. Trabaja la masa hasta que quede elástica. Estírala y forma dos discos de 15 cm de diámetro.

3. Forma un borde elevado con los dedos. Coloca las bases sobre las placas de horno y déjalas fermentar mientras preparas el relleno.

4. Precalienta el horno a 220°C. Escurre los tomates y pásalos al cuenco con el tomate concentrado y el orégano. Mézclalo todo y sazónalo.

5. Reparte la mezcla entre las bases. Pon encima el jamón, la mozzarella, el pimiento y los champiñones. Píntalo todo con el aceite.

6. Hornea las pizzas entre 15 y 20 minutos, hasta que la masa empiece a dorarse y endurecerse. Sácalas del horno y sírvelas.

para 2 personas

25 minutos

40–50 minutos

Utensilios

- cuchillo de cocina
- tabla de cortar
- plato grande
- cuenco
- tenedor
- 2 platos llanos
- bolsa de plástico
- 2 bandejas para el horno
- pincel de repostería
- pinzas de cocina
- rasera

DELICIAS DE PESCADO

¡Qué invento! Con esta receta puedes montarte un menú para llevar en tu propia casa. El pescado está rebozado con pan rallado, lo que hace que al freírlo quede crujiente.

Necesitas:

2 filetes de platija u otro pescado blanco sin piel y cortado en tiras de 1 cm

sal y pimienta

2 cucharadas de harina

1 huevo

115 g de pan rallado blanco o integral

1 cucharada de perejil fresco picado fino

2 patatas grandes con la piel limpia

6 cucharadas de aceite de oliva

Para aderezar

medio limón cortado en trozos

ketchup o mayonesa

1. Precalienta el horno a 200°C. Sazona la harina y ponla en un plato. Enharina las tiras de pescado hasta que queden bien cubiertas.

2. Bate el huevo en un cuenco y pásalo al otro plato llano. Pasa el pescado por el huevo batido. Mezcla el perejil y el pan rallado; sazona la mezcla.

3. Pasa la mezcla a una bolsa de plástico y mete dentro el pescado para rebozarlo bien. Refrigéralo 30 minutos sobre una bandeja para el horno.

4. Corta cada patata en
8 trozos. Ponlas en una
bandeja para el horno y
píntalas con aceite por
ambos lados. Sazónalas bien.

5. Hornea las patatas de 35 a
40 minutos hasta que se doren,
dándoles la vuelta de vez en
cuando. Saca el pescado del
frigorífico y rocíalo con aceite.

6. Hornea el pescado en la
parte superior del horno de
15 a 20 minutos, dándole la
vuelta. Sírvelo con las patatas,
el limón y tu salsa preferida.

CRÊPES DE RECHUPETE

No hay que esperar a una ocasión especial para preparar unas deliciosas crêpes. Date el gusto de hacerlas cuando quieras; es cuestión de minutos. Y combinan bien con todo: azúcar, mermelada, miel con zumo de limón... ¡o chocolate!

Utensilios

- tamiz
- cuenco para mezclar
- cuchara de madera
- jarra graduada
- sartén antiadherente de 18 cm
- espátula de madera
- papel parafinado

Necesitas:

100 g de harina

una pizca de sal

1 huevo batido

300 ml de leche

10 cucharaditas de mantequilla o aceite

Para aderezar

zumo de limón

azúcar extrafino

Un toque distinto

Puedes servir las crêpes con miel líquida o mermelada. O, si lo prefieres, con rodajas de plátano bañadas en salsa de chocolate.

También puedes optar por rellenos salados, a base de carne o verduras. Sírvelas con queso rallado fundido por encima.

1. Tamiza la harina y la sal en el cuenco. Haz un hueco en el centro y añade el huevo y la mitad de la leche. Bate el huevo y la leche juntos.

2. Incorpora poco a poco la harina a la mezcla de huevo y leche. Cuando se deshagan los grumos, añade el resto de la leche. Pasa la mezcla a la jarra.

3. Calienta la sartén a fuego medio. Pon una cucharadita de mantequilla o de aceite e inclina la sartén para repartir la grasa por toda la base.

4. Vierte en la sartén masa suficiente para cubrir la base. Inclina la sartén hasta que quede cubierta por una fina capa. Cuécela 30 segundos.

5. Levanta el borde de la crêpe para ver si está hecha. Despega los bordes y dale la vuelta con la espátula. Cuécela por el otro lado hasta que se dore.

6. Pasa la crêpe a un plato templado. Ve apilándolas con papel parafinado entre medio. Tápalas con papel de aluminio para que no se enfríen.

¡Crêpes recién hechas!

Sirve las crêpes calientes; no dejes que se enfríen. Ponles zumo de limón y azúcar por encima y dóblalas.

para 6 unidades

30–40 minutos

1–2 horas

NATILLAS SORPRESA ★★★

Este delicioso postre, un montón de natillas, nata y alguna sorpresa más, es ideal para un día especial. Decora la crema con lo que se te ocurra. Pongas lo que pongas estará riquísima.

Utensilios

* tabla de cortar
* cuchillo afilado
* cuenco para mezclar
* batidora de varillas
* film transparente
* cazo
* cuchara de madera
* jarra graduada
* 6 cuencos de cristal

Necesitas:

1 arrollado de mermelada, u 8 bizcochos y 100 g de mermelada de fresa

125 ml de zumo de naranja (o el zumo de una conserva de fruta)

40 g almendrados o galletas de almendra

350 g de fresas frescas u otra fruta (fresca o en conserva)

Natillas

5 yemas de huevo

3 cucharadas de azúcar extrafino

$^{1}/_{2}$ cucharadita de extracto de vainilla

425 ml de nata ligera

Cobertura

300 ml de nata espesa

2 cucharadas de leche

virutas de chocolate para decorar

1. Corta el arrollado en trozos (o los bizcochos, y cúbrelos de mermelada). Ponlos en los cuencos y vierte por encima el zumo.

2. Añade los almendrados a los cuencos y pon encima la fruta a cucharadas. Mezcla en la jarra las yemas, el azúcar y el extracto de vainilla.

3. Calienta la nata ligera en el cazo hasta poco antes de que hierva. Incorpórala a la jarra, sin dejar de remover, hasta mezclarlo todo.

4. Vuelve a verter la mezcla en el cazo. Caliéntala a fuego lento, removiendo sin parar, hasta que la salsa se espese y cubra la cuchara.

5. Sumerge la base del cazo en agua fría y remueve hasta que la natilla se enfríe. Repártela entre los cuencos y déjala reposar tapada 1 o 2 horas.

6. Justo antes de servir, monta la nata espesa con la leche hasta que se haga consistente. Viértela sobre las natillas y sírvelas frías.

DULCES DE VICIO

¿Quieres darte el gusto de disfrutar de lo lindo con unos dulces de vicio? Pues aquí tienes algunas ideas a cual más irresistible: cereales al chocolate, muy fáciles de hacer, dulces de avena, brownies de chocolate, madalenas glaseadas, galletas y muchas más.

Los bocaditos de menta bañadas en chocolate negro pueden ser un regalo ideal para madres y padres. Y si quieres darte el gran lujo, prueba a hacer el helado casero... ¡está para chuparse los dedos! Prepárate para descubrir el maravilloso mundo del dulce.

CEREALES AL CHOCOLATE ★

¡Esta receta es súper fácil! Seguro que es una de las primeras que pruebas a hacer. Estos crujientes cereales bañados en chocolate son un dulce ideal para cualquier momento, y casi no hay que cocinar para prepararlos.

para 12 unidades

20 minutos

1 hora de refrigeración

Utensilios

- cuenco para mezclar
- cazo grande
- cuchara de madera
- cuchara de postre
- cuchillo
- molde para madalenas
- 12 cápsulas de papel

Necesitas:

50 g de mantequilla

4 cucharadas de jarabe de caña

100 g de chocolate con leche partido en trozos

70 g de copos de maíz

Un toque distinto

Esta receta puede hacerse con copos de trigo o arroz inflado en vez de maíz.

Si lo prefieres, puedes usar chocolate negro o blanco. Añade 50 g de pasas para que los cereales sean aún más fáciles de masticar.

1. Pon la mantequilla, el jarabe de caña y el chocolate en el cuenco y colócalo sobre el cazo con agua hirviendo.

2. Deja que la mantequilla, el jarabe y el chocolate se fundan, removiéndolo todo para que se mezcle bien.

3. Retira el cazo del fuego y saca el cuenco.

4. Añade los copos de maíz a la mezcla y remuévelo todo bien con una cuchara de madera.

5. Reparte con cuidado la mezcla entre las cápsulas de papel. Procura que no se manchen demasiado.

6. Refrigera los cereales durante 1 hora. Guárdalos en una lata hermética para que no se pongan blandos.

BOCADITOS DE MENTA ★

Estas irresistibles pastas de menta pueden ser un regalo ideal para madres, padres, abuelos y amigos especiales. Son facilísimas de hacer y te lo pasarás genial mojándolas en chocolate. ¡No te las comas mientras las haces!

para 24 unidades

30 minutos

1 hora de refrigeración

Utensilios

- cuenco para mezclar
- batidora de varillas
- tamiz
- cuchara de madera
- tabla de cortar
- cucharilla para medir
- bandeja de horno forrada con papel parafinado
- tenedor
- cazo pequeño
- cuenco refractario

Necesitas:

1 clara de huevo

350 g de azúcar glas, y un poco más para moldear

3 gotas de esencia de menta

2 gotas de colorante verde

125 g de chocolate negro troceado

¡Envueltas para regalo!

Prepara una caja adornada con gracia o una lata bonita forrada con papel de seda y coloca dentro las pastas de menta. A tu abuela o a tu profesora le encantará el regalo.

1. Monta la clara en el cuenco hasta que esté espumosa. Tamiza el azúcar y mézclalo todo bien. Añade la esencia de menta y el colorante.

2. Ponte un poco de azúcar glas en las manos. Moldea cucharaditas de masa en forma de bolitas y ponlas en la bandeja.

3. Aplana cada bolita con un tenedor. Mete la bandeja en el frigorífico 1 hora, hasta que las pastitas se endurezcan.

4. Pon los trozos de chocolate en el cuenco refractario. Coloca el cuenco sobre el cazo con agua hirviendo (unos 5 cm de agua).

5. Cuando el chocolate se haya fundido, retíralo del fuego y remuévelo hasta que no queden grumos. Deja que se enfríe un poco.

6. Moja cada pastita en el chocolate hasta la mitad. Déjalas secar sobre el papel parafinado. Guárdalas en un lugar fresco o en la nevera.

para 4 unidades

15–20 minutos

2 horas de
refrigeración

MOUSSE DE CHOCOLATE

★ ★

Preparando esta mousse te lo pasarás genial... y encima está la mar de buena. Aprenderás a fundir chocolate y a batir claras de huevo a punto de nieve, y al mismo tiempo estarás haciendo un postre delicioso.

Utensilios

- cuenco refractario
- cazo
- cuchara
- cuenco para mezclar
- platillo
- huevera
- cuenco pequeño
- cucharilla para medir
- batidora eléctrica o de varillas
- espátula de plástico
- rallador
- 4 tarrinas pequeñas para servir

Necesitas:

125 g de chocolate negro partido en trozos

4 huevos grandes

50 g de chocolate blanco

Un toque distinto

Si quieres una mousse con sabor a naranja, añade ralladura de naranja al chocolate fundido, o pon frutos secos picados en el fondo de las tarrinas si prefieres darle un toque crujiente.
(Lee antes la advertencia de la página 2 sobre los frutos secos.)

1. Pon el chocolate en el cuenco refractario. Coloca el cuenco sobre el cazo con agua hirviendo (unos 5 cm) para que el chocolate se funda.

2. Separa los huevos según el método descrito en la página 7. Pasa las claras al cuenco para mezclar y las yemas al cuenco pequeño.

3. Retira el chocolate fundido del fuego y remuévelo bien. Déjalo enfriar un poco. Bate las yemas y añádelas poco a poco al chocolate, removiendo

4. Bate las claras de huevo en el cuenco para mezclar a punto de nieve (hasta que estén blancas y esponjosas, y formen picos).

5. Con ayuda de la espátula, ve pasando las claras montadas a la mezcla de chocolate, removiendo, hasta que quede todo mezclado.

6. Reparte la mousse con cuidado entre las tarrinas y refrigérala 2 horas hasta que cuaje. Sírvela decorada con virutas de chocolate blanco.

para unas 18 unidades

10–15 minutos

25–30 minutos

DULCES DE AVENA

Estas delicias de avena son ideales para matar el gusanillo cuando apetece algo dulce. Están riquísimas y además, como llevan copos de avena, son súper sanas.

Utensilios

- molde rectangular de 20 x 30 cm, engrasado y forrado con papel parafinado
- cazo grande
- cuchara de madera
- espátula de plástico
- cuchillo romo
- rejilla
- lata hermética para almacenar

Necesitas:

175 g de mantequilla

125 g de azúcar moreno

50 g de jarabe de caña de azúcar

350 g de copos de avena

Un toque distinto

Si quieres dar a estos dulces un toque afrutado, añade 70 g de pasas a la mezcla de avena. Para que sean aún más sanos, añade 50 g de dátiles y 50 g de pipas.

Para darles más sabor, funde 50 g de chocolate negro y moja en él las pastas de avena. Déjalos enfriar en una rejilla hasta que el chocolate cuaje.

1. Precalienta el horno a 180°C. Pon la mantequilla, el azúcar y el jarabe de caña en el cazo.

2. Calienta el cazo a fuego lento 2 o 3 minutos, removiendo hasta que se funda todo. Retira el cazo del fuego y añade la avena.

3. Pasa la mezcla al molde preparado. Presiona bien la mezcla con la espátula.

4. Hornea la mezcla en el centro del horno de 25 a 30 minutos, hasta que se dore pero aún esté blanda.

5. Deja enfriar el pastel fuera del horno 10 minutos. Córtalo en cuadrados y deja que se enfríe por completo en el molde.

6. Saca con cuidado los dulces de avena del molde con un cuchillo. Si los guardas en una lata hermética se conservarán hasta 1 semana.

MEGAGALLETAS

Estas deliciosas galletas son ideales para picar algo dulce en cualquier momento. El único problema es que están tan ricas que le encantarán a todo el mundo, así que no te extrañe si vuelan en un periquete.

para 18 unidades

15 minutos

15–20 minutos

Utensilios

- cuenco para mezclar
- cuchara de madera o mezcladora
- cuenco pequeño
- tenedor
- tamiz
- espátula de plástico
- cuchara de postre
- 2 bandejas de horno forradas con papel parafinado
- cuchillo romo
- rejilla
- lata hermética para almacenar

Necesitas:

125 g de mantequilla

125 g de azúcar moreno

1 huevo grande batido

1 plátano maduro chafado

175 g de harina de fuerza

1 cucharadita de especias variadas

2 cucharadas de leche

100 g de chocolate troceado

50 g de pasas

Un toque distinto

Puedes sustituir el chocolate por 100 g de frutos secos picados.

Para preparar unas deliciosas galletas de mantequilla de cacahuete, sustituye el plátano por 2 cucharadas de mantequilla de cacahuete y el chocolate, por cacahuetes picados. No añadas las especias ni las pasas. (Lee antes la advertencia de la página 2 sobre los frutos secos.)

1. Precalienta el horno a 190°C. Mezcla la mantequilla y el azúcar con la cuchara de madera o la mezcladora hasta obtener una mezcla esponjosa.

2. Incorpora poco a poco el huevo a la mezcla, batiendo bien. Chafa el plátano y añádelo a la mezcla poco a poco, removiendo bien.

3. Tamiza encima la harina y las especias, removiendo bien con la espátula. Incorpora la leche, seguida del chocolate y la fruta.

4. Distribuye cucharadas de la mezcla sobre las bandejas de horno. Deja espacio suficiente para que no se peguen (pon 9 galletas en cada bandeja).

5. Hornea las galletas en el centro del horno de 1 5 a 20 minutos, hasta que empiecen a dorarse.

6. Sácalas del horno y deja que se endurezcan un poco. Con un cuchillo romo, pásalas a una rejilla y deja que se enfríen antes de guardarlas.

para 8–12 unidades

20 minutos

25 minutos

BROWNIES DE CHOCOLATE

Los brownies son insuperables. Se trata de un denso bizcocho de chocolate esponjoso por dentro y crujiente por fuera. ¡No podrás parar de comer!

Utensilios

- molde cuadrado de 20 cm
- papel parafinado
- tijeras
- cuenco refractario
- cazo
- cuchara de madera
- cuenco pequeño
- tenedor
- tamiz
- cucharilla para medir
- espátula de plástico
- cuchillo

Necesitas:

175 g de chocolate negro troceado

175 g de mantequilla

250 g de azúcar extrafino

una pizca de sal

3 huevos grandes

115 g de harina

2 cucharaditas de extracto de vainilla

100 g de trocitos de chocolate

Un toque distinto

Para dar a los brownies un toque de color, usa trocitos de chocolate blanco.

Puedes servir los brownies como pasteles de fiesta, poniendo una vela en cada porción individual.

1. Precalienta el horno a 180°C. Engrasa el molde y fórralo con el papel parafinado.

2. Pon a fundir el chocolate y la mantequilla en un cuenco colocado sobre el cazo con agua hirviendo. Retíralo del fuego y déjalo reposar.

3. Añade el azúcar y la sal al chocolate fundido. Bate los huevos en el cuenco pequeño e incorpóralos poco a poco a la mezcla de chocolate.

4. Tamiza la harina sobre la mezcla y remuévelo todo hasta que no queden grumos. Añade el extracto de vainilla y los trocitos de chocolate.

5. Pasa la mezcla al molde. Hornéala de 20 a 25 minutos, hasta que se vea cocida por arriba y el centro esté tierno. Saca el molde del horno.

6. Deja enfriar el bizcocho en el molde antes de cortarlo en trozos. Saca los brownies del molde. Si los sirves con helado son un postre ideal.

20 minutos

15–20 minutos

Utensilios

- cuenco para mezclar
- cuchara de madera
- tamiz
- cuchara para medir
- molde para madalenas
- 12 cápsulas de papel
- cuchara de postre
- rejilla
- cuenco pequeño
- exprimidor

MADALENAS GLASEADAS

★ ★ ★

Estas esponjosas madalenas apetecen a cualquier hora.
Para decorarlas, ¡deja volar tu imaginación!

Necesitas:

125 g de mantequilla (reblandecida a temperatura ambiente)

125 g de azúcar extrafino

2 huevos batidos

125 g de harina de fuerza

2 cucharadas de leche

Glaseado

225 g de azúcar glas

1 cucharada de zumo de limón

1 cucharada de agua templada

Para decorar
caramelos, grageas de chocolate, bolitas multicolores o plateadas, coco rallado y guindas

Un toque distinto

¿Quieres hacer glaseados de distintos colores? Es tan fácil como repartir la mezcla del glaseado en cuencos pequeños y añadir un colorante distinto en cada uno de ellos.

1. Precalienta el horno a 190°C. Mezcla la mantequilla y el azúcar con la cuchara de madera hasta que quede suave y esponjosa.

2. Incorpora los huevos poco a poco, batiendo bien cada vez. Tamiza la harina sobre el cuenco y ve mezclándolo todo con la cuchara.

3. Añade la leche, removiendo, hasta que la mezcla quede homogénea y cubra la cuchara. Repártela entre las cápsulas (dentro del molde).

4. Hornea las madalenas de 15 a 20 minutos, hasta que la masa suba y se dore. Saca el molde del horno y pasa las madalenas a una rejilla.

5. Tamiza el azúcar glas en el cuenco pequeño. Añade el zumo y el agua y remueve hasta conseguir una mezcla espesa y sin grumos.

6. Cubre las madalenas con cucharadas del glaseado, extendiéndolo con el dorso de la cuchara. Decóralas dando rienda suelta a tu imaginación.

para 6 personas
(cada receta)

15 minutos
+ reposo

3–4 horas de
congelación

HELADO A GRANEL ★★

Este delicioso helado es tan fácil de preparar que ni siquiera necesitas una heladera eléctrica. Podrás hacer tanto cuanto quieras siguiendo simplemente las instrucciones de esta receta.

Utensilios

- cazo pequeño
- cuchara de madera
- cucharilla para medir
- cuenco para mezclar
- batidora de varillas
- espátula de plástico
- cuchara para medir
- 2 recipientes de plástico cuadrados con tapa
- tenedor

Necesitas:

Helado de caramelo

85 g de jarabe de caña

85 g de azúcar mascabado claro

50 g de mantequilla

1 cucharadita de extracto de vainilla

140 ml de nata espesa

500 g de yogur griego

100 g de dulce de azúcar picado en trozos pequeños

Helado de frutas del bosque

150 ml de puré de fruta, preparado con frutas del bosque congeladas, descongeladas

400 g de natillas envasadas

400 g de queso fresco

HELADO DE CARAMELO

1. En el cazo, calienta a fuego lento el jarabe, el azúcar y la mantequilla, removiendo. Una vez fundido todo, retíralo del fuego y añade la vainilla.

2. Monta la nata y añade el yogur, la preparación ya fría y el dulce de azúcar. Congela la mezcla en el recipiente tapado 1 hora.

3. Saca la mezcla del congelado remuévela y vuelve a congelar 1 hora. Repite este paso hasta que el helado cuaje. Refrigérala 30 minutos antes de servirlo.

HELADO DE FRUTAS DEL BOSQUE

1. Con un tenedor, chafa las frutas descongeladas hasta hacerlas puré.

2. Mezcla las natillas y el queso fresco en el cuenco. Incorpora el puré de fruta poco a poco, removiendo con la espátula hasta mezclarlo todo bien.

3. Pasa la mezcla al recipiente de plástico. Tápala y congélala 1 hora. Sigue las instrucciones del paso 3 de la página anterior.

Un toque distinto

En lugar de frutas del bosque congeladas puedes emplear fresas y frambuesas frescas si están en temporada.

UTENSILIOS DE COCINA

1 batidora de vaso
2 báscula
3 robot de cocina
4 rallador
5 pinzas de cocina
6 mezcladora

7 varillas eléctricas
8 recipiente de plástico para el congelador
9 batidora de brazo
10 batidora de varillas

1 cazos
2 colador
3 molde para pasteles
4 molde para madalenas
5 placa de horno
6 cuenco para mezclar

7 tamiz
8 jarra graduada
9 exprimidor
10 rodillo
11 manoplas
12 rejilla

1 cazos para medir
2 pincel de repostería
3 tamizador de harina
4 espátula de plástico
5 rasera
6 espumadera
7 tijeras
8 cuchillos afilados

9 tabla de cortar
10 machacador de ajos
11 cortapastas
12 pelador de verduras
13 brochetas
14 cuchara de madera
15 espátula de madera

GLOSARIO DE COCINA

amasar
Trabajar con las manos una masa hasta que quede uniforme y elástica.

batir
Revolver un ingrediente con un movimiento rápido, por medio de un utensilio manual o eléctrico, para obtener una masa líquida o espesa.

desmenuzar
Triturar o deshacer un alimento en partes muy pequeñas con las manos o con un tenedor.

engrasar
Untar un molde o bandeja de horno con aceite u otra grasa para que la masa no se pegue.

escurrir
Eliminar el exceso de líquido de un alimento cocinado, poniéndolo en un escurridor o colador.

fermentar
Dejar reposar en un sitio templado una masa con levadura para que suba. La masa debe doblar su volumen.

glasear
Pintar una masa con yema de huevo o leche para que quede brillante o dorada al hornearla.

incorporar
Añadir poco a poco un ingrediente a una mezcla, removiendo con una cuchara de metal o una espátula.

marinar
Poner un alimento en un preparado líquido con condimentos para que se ablande o se conserve.

mezclar
Unir varios ingredientes con un utensilio manual o eléctrico hasta conseguir una mezcla homogénea, es decir, uniforme y sin grumos.

montar
Batir la nata o las claras de huevo hasta que se espesen y queden esponjosas.

picar
Cortar un alimento en trozos muy pequeños.

refrigerar
Enfriar un alimento o preparación en el frigorífico para que cuaje o se conserve.

rociar
Esparcir gotas menudas de un líquido por encima de una preparación.

saltear
Sofreír, cocinar ligeramente un alimento en aceite o mantequilla a fuego vivo.

sazonar
Añadir a la comida sal, pimienta y otras sustancias que sirven para darle más sabor.

tamizar
Usar un tamiz para eliminar el líquido o las partes gruesas del azúcar o la harina, y de paso añadir aire a la mezcla.

ÍNDICE